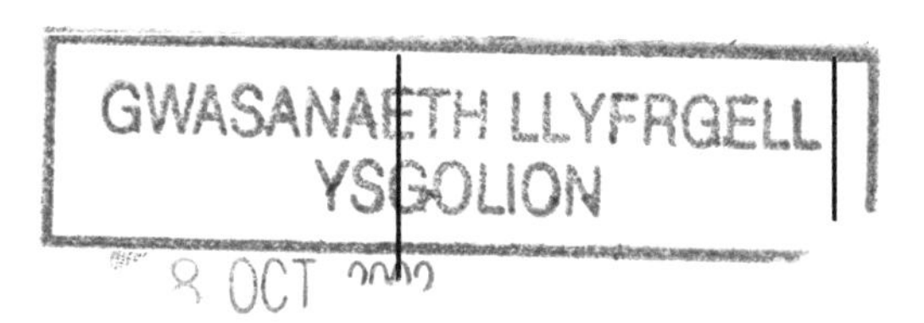
GWASANAETH LLYFRGELL
YSGOLION
8 OCT 2002

D1608506

Croeso i'r Baban Iesu

Testun gwreiddiol: Maggie Barfield
Darluniau gan Joy Hutchinson
Addasiad Cymraeg gan Delyth Wyn
Golygydd Cyffredinol: Aled Davies
Cyhoeddwyd yn wreiddiol gan Scripture Union

ISBN 1 85994 422 1

Cyhoeddwyd gan:
Cyhoeddiadau'r Gair, Cyngor Ysgolion Sul Cymru,
Ysgol Addysg, PCB, Safle'r Normal,
Bangor, Gwynedd, LL57 2PX.

Croeso i'r Baban Iesu

Maggie Barfield

Lluniau gan

Joy Hutchinson

Addasiad Cymraeg gan

Delyth Wyn

Hwn yw y baban Iesu.

Hwn yw y stabl, lle diogel i gysgu,
A fu'n gartref am ychydig i'r baban Iesu.

Hon yw Mair, y fam dyner a charedig,
A ddaeth i'r stabl, lle diogel i gysgu,
A fu'n gartref am ychydig i'r baban Iesu.

A dyma Joseff, tad gofalus a da,
A ofalodd am Mair, y fam dyner a charedig,
A ddaeth i'r stabl, lle diogel i gysgu,
A fu'n gartref am ychydig i'r baban Iesu.

Hon yw y ddinas o'r enw Bethlehem,
Yn nhref Joseff, tad gofalus a da,
A ofalodd am Mair, y fam dyner a charedig,
A ddaeth i'r stabl, lle diogel i gysgu,
A fu'n gartref am ychydig i'r baban Iesu.

Rhain yw y defaid yn byw allan yn y caeau,
Uwchben y ddinas o'r enw Bethlehem,
Yn nhref Joseff, tad gofalus a da,
A ofalodd am Mair, y fam dyner a charedig,
A ddaeth i'r stabl, lle diogel i gysgu,
A fu'n gartref am ychydig i'r baban Iesu.

Rhain yw'r bugeiliaid, ar noson oer dywyll,
A ofalodd am y defaid yn byw allan yn y caeau,
Uwchben y ddinas o'r enw Bethlehem,
Yn nhref Joseff, tad gofalus a da,
A ofalodd am Mair, y fam dyner a charedig,
A ddaeth i'r stabl, lle diogel i gysgu,
A fu'n gartref am ychydig i'r baban Iesu.

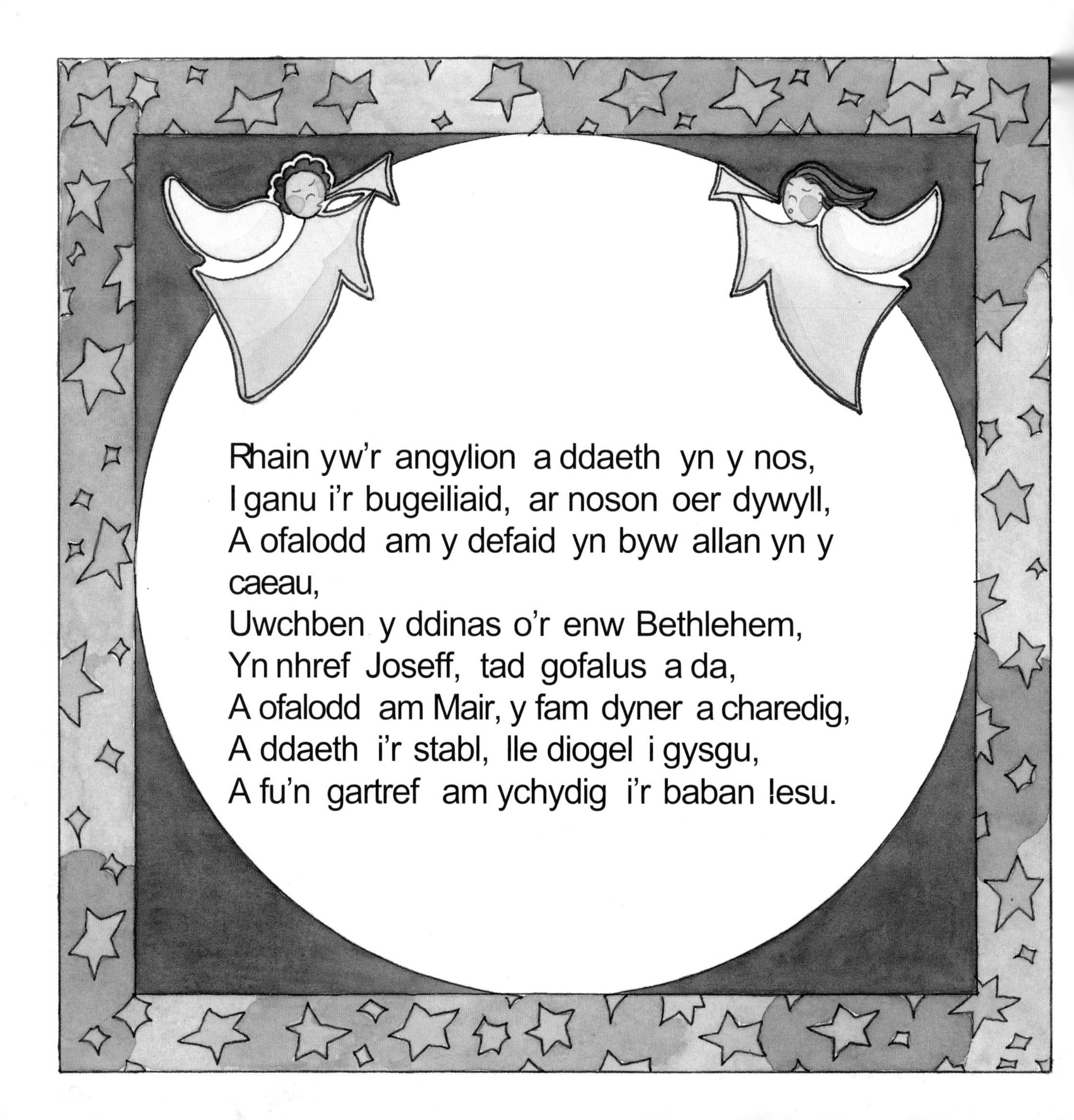

Rhain yw'r angylion a ddaeth yn y nos,
I ganu i'r bugeiliaid, ar noson oer dywyll,
A ofalodd am y defaid yn byw allan yn y caeau,
Uwchben y ddinas o'r enw Bethlehem,
Yn nhref Joseff, tad gofalus a da,
A ofalodd am Mair, y fam dyner a charedig,
A ddaeth i'r stabl, lle diogel i gysgu,
A fu'n gartref am ychydig i'r baban Iesu.

Rhain yw'r bugeiliaid a ddaeth i lawr o'r bryn,
Wedi iddynt glywed yr angylion yn canu eu cân,
Gan adael y defaid ar ôl ar y bryn,
I lawr i'r ddinas o'r enw Bethlehem,
I gyfarfod Joseff, tad gofalus a da
ac i weld Mair, y fam dyner a charedig
I mewn yn y stabl, lle diogel i gysgu
A fu'n gartref am ychydig i'r baban Iesu.

Hon yw y seren, yn disgleirio yn yr awyr,
Seren glir newydd i'r baban Iesu.

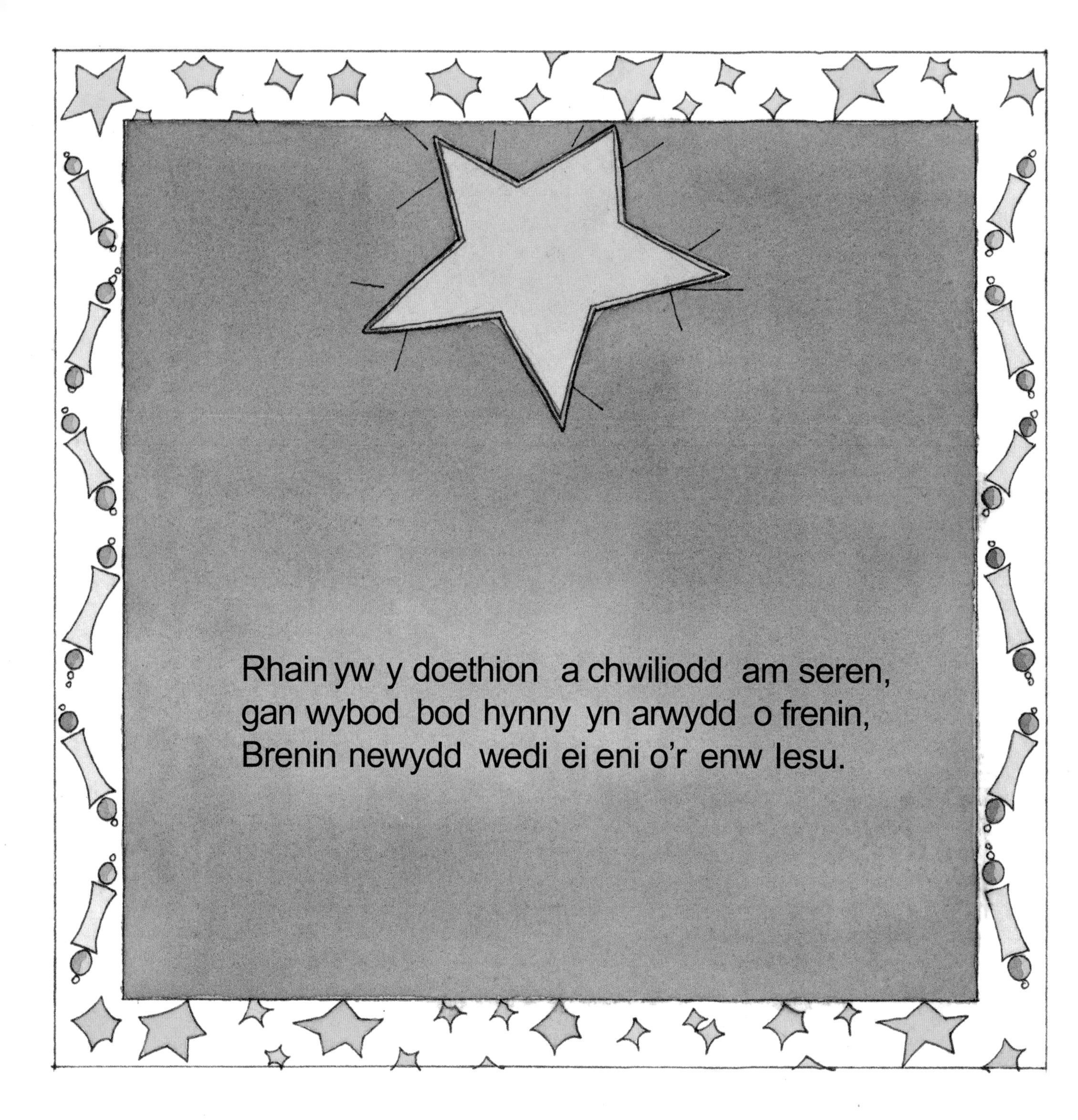

Rhain yw y doethion a chwiliodd am seren,
gan wybod bod hynny yn arwydd o frenin,
Brenin newydd wedi ei eni o'r enw Iesu.

Rhain yw'r camelod, a deithiodd am hir,
gan gario y doethion a ddilynodd y seren,
a wyddai bod hynny yn arwydd o frenin,
Brenin newydd wedi ei eni o'r enw Iesu.

Rhain yw'r anrhegion, yn aur, thus a myrr
Yn cael eu cario gan gamelod, a deithiodd am hir,
gan gario y doethion a ddilynodd y seren,
a wyddai bod hynny yn arwydd o frenin,
Brenin newydd wedi ei eni o'r enw Iesu.

Rhain yw y bobl, ym mhob rhan o'r byd
Sy'n gwybod bod yr hanes yn stori go iawn,
Sy'n canu a dathlu a cyd-lawenhau
Wrth gofio am Iesu, brenin y byd.